D1249578

LES COINS DE RÊVE DE VOTRE JARDIN

En couverture :
Jardin du château de Sissinghurst,
Kent, Grande-Bretagne.
© National Trust Photographic
Library/Andrew Lawson.

Conception graphique et réalisation :
RAMPAZZO & ASSOCIÉS.

120 idées de charme
révélées par
Anita Pereire

LES COINS DE RÊVE DE VOTRE JARDIN

HACHETTE

Sommaire

Les coins de rêve de votre jardin

Tout le monde n'a pas un coin de rêve dans son jardin, mais je crois que tout le monde peut en créer un, s'il le désire. D'abord, il y a le coin enchanteur que l'on découvre un jour... comme un cadeau inattendu ou quelque lieu magique... Notre cœur « sourit » en l'apercevant. Et puis, il y a aussi celui que l'on crée, comme monsieur Jourdain « faisait de la prose sans le savoir »...

Fruit du hasard ou de l'expérience, quel serait le point de départ ? Faisons d'abord un tour dans notre jardin et cherchons ce qui nous inspirera et que l'on pourrait appeler les matières premières. Elles sont de plusieurs ordres : il y a les plantes bien sûr, mais aussi la pierre, le bois, l'eau... Et puis il y a les lieux. Tous les lieux du jardin peuvent être des sujets de coin de rêve ; ceux évidents et prédestinés comme les tonnelles, les pergolas, les bancs, les terrasses, mais aussi d'autres coins plus étonnants auxquels vous n'aurez pas toujours pensé, comme la façade de la maison, l'allée, l'escalier, les haies ou le mur du jardin...

Enfin, il y a le savoir-faire et l'inventivité des jardiniers de ces jardins que j'ai choisis pour vous, jardiniers passés maîtres dans l'art de créer des ambiances incomparables, parce qu'ils ont joué avec les couleurs, les parfums, les matériaux et les lumières. Pour cela, point n'est besoin de dépenses fastueuses ou de constructions sophistiquées... Parfois, en effet, ça aide. Cependant, c'est très souvent en agençant des plantes et des matériaux légers, faciles à se procurer et à installer, que des scènes ravissantes voient le jour.

Par ailleurs, n'oublions pas que les coins de rêve peuvent dépendre aussi des modes, des traditions, des héritages culturels, des nouvelles espèces cultivées. Ce que l'on considérait comme un « coin de rêve » dans les siècles passés n'a plus aucun rapport avec nos conceptions actuelles. Aujourd'hui, nous sommes plus romantiques, plus expérimentaux avec les plantes. Nous redécouvrons Rousseau et, à notre façon, nous essayons de recréer et de magnifier « la nature naturelle ».

Fruit du hasard ou de l'expérience ? À vous de choisir… Voici ces coins de rêve que je vous propose de découvrir.

Anita Pereire

PREMIÈRES IMPRESSIONS

Façades, portes et fenêtres

FAÇADES HABILLÉES

Façades en « robe d'été », rosiers en tenue d'hiver, feuillages persistants, tout cet habillage a une double fonction. Tout d'abord, il remplit parfaitement son rôle d'accueil, mais, bien souvent aussi, cette plantation fait office de « cache-misère » lorsque la façade n'est pas aussi belle que l'on souhaiterait. Néanmoins, une mise en garde s'impose. Lorsqu'il n'y a pas de gouttières, la pluie qui tombe directement du toit sur les plantations menace les plantes.

Il convient donc de protéger l'emplacement des rosiers afin qu'ils ne soient pas sous la douche. Si du lierre ou des vignes vierges sont utilisés, une découpe à l'emplacement des fenêtres doit être pratiquée, chaque année, dans le courant de l'été. Et ne croyez pas que la vigne vierge abîme les murs ! En revanche, le lierre est plus destructeur car il s'insinue dans le moindre interstice.

APPROCHE CLASSIQUE

Classique, élégante, défiant les modes, cette composition convient à merveille à la façade toute blanche de cette propriété. Sur un dallage de pierres, ces deux rectangles de buis ont été prévus pour apparaître depuis l'intérieur de la maison comme un véritable décor, que l'on a intérêt à éclairer le soir. Les buis taillés en topiaire dans les pots et la petite haie de buis contre la maison seront aussi verts et de bon ton en été qu'en hiver. Il ne faut pas croire que le buis met longtemps à grandir. S'il est bien planté dans un mélange de terreau, de sable, de tourbe avec une poignée de sang séché et d'os broyé mélangés, le buis grandit d'environ 10 cm par an. Il devra être bien arrosé pendant la première année et vous obtiendrez ce superbe ruban de verdure.

PASSER LE PETIT PONT

Tout le charme de la façade vient de ce drôle de petit pont. Il est fait d'une solide planche de bois avec ses mains courantes. On l'a habillé avec des lierres qui se sont admirablement développés grâce à l'humidité et avec une paire de buis qui ont pris de la bouteille. On a volontairement laissé dégringoler les boules de buis par-dessous la balustrade et on les a grossièrement taillées. Avec l'âge, elles donnent l'impression de monter la garde en façade.

FANTAISIE EN BUIS

Comme la façade de la maison était belle, on a préféré ne pas la charger. C'est très simple, mais efficace : une paire de buis en « tire-bouchon » encadre la porte. On a joué la sobriété jusqu'au bout avec quelques topiaires-boules. Pour celles-ci, une seule variété de buis, *Buxus microphylla,* a été utilisée, qui se prête le mieux à la taille en topiaire. Un petit truc à connaître : arrosez les buis avant la taille et mouillez les ciseaux, le feuillage réagit mieux. On enlèvera deux tiers de la nouvelle pousse, qui se reconnaît aisément à son feuillage plus clair. Si vous achetez un sujet qui a été bien taillé au départ, vous n'aurez aucun mal, en le taillant, à suivre la forme.

LES EXIGENCES DU BUIS

Le mois d'août est propice à cet exercice. Le saviez-vous ? Les buis aiment une mauvaise terre, même argilo-calcaire, ils s'en moquent. En revanche, ils n'apprécient guère que leurs racines se dessèchent. Dans ce jardin, il y a une source qui coule à 20 cm sous terre. Les buis n'en souffrent pas, à condition que leurs racines ne soient pas dans l'eau. Pour leur donner un bon départ dans la vie, incorporez une poignée d'os broyé et de sang séché au moment de la plantation, en ameublant bien les contours du trou.

ÉCLAT DE COULEURS

Il faut me croire si je vous dis que cette plantation exubérante est plantée dans un seul pot rond d'un diamètre de 0,60 m. Le secret de sa floraison réside dans la manière dont ces plantes sont nourries. Donnez-leur, tous les quinze jours à partir du mois de mai, un engrais approprié pour plantes de serre et des arrosages journaliers. Les feuillages gris du bas sont des immortelles (*Helichrysum italicum serotinum*) dont le feuillage est très aromatisé. Les grandes fleurs bleues sont des abutilons qu'aiment bien les abeilles et les papillons, et qui voisinent avec un tibouchina. Le bouquet de fleurs jaunes allège la composition de bidents (*Bidens ferulæfolia*). Les plantes vivent normalement dans une serre froide pour sortir dès les beaux jours ; sous un climat chaud elles peuvent rester dehors.

ENTRÉE DE CHARME

Emmitouflé dans sa « cagoule », le troène doré (*Ligustrum vulgare* 'Aureum') trouve une nouvelle raison d'être. En effet, cet arbuste au feuillage souvent triste a été dénigré, critiqué et parfois exclu de nos jardins. Et peut-être à juste titre, car il est si gourmand que d'autres arbustes ou fleurs ne supportent guère sa compagnie. Ce qu'il faut mettre à son débit. Mais considérons son côté crédit.

LE TROÈNE RÉHABILITÉ

Il faut avouer que ses fleurs ont un parfum exquis en juin-juillet. Son feuillage est pratiquement persistant, il se contente tout à fait de n'importe quelle terre et le soleil ou l'ombre lui sont indifférents. Quant à la pollution, il ne la connaît pas ou l'ignore ! Ainsi, habillant la porte d'entrée, sa présence signe l'accueil de la maison. Si vous l'utilisez ainsi, choisissez de ne pas planter d'autres végétaux à ses côtés. Recherchez surtout la variété à feuillage panaché jaune : 'Aureum'. La plantation se fait d'octobre à mars. La taille de formation peut commencer en mai et reprendre à nouveau en septembre. Le troène pousse vite qui, soit dit en passant, s'appelle *Ligustrum*, ce qui fait plus digne que « troène ».

ACCUEIL EN VERT ET BLANC

Un pied de 'City of York' d'un côté, un pied 'd'Albertine' de l'autre et voilà votre façade habillée et pour le moins accueillante. Avec des rosiers grimpants de cette envergure, le palissage s'appuie sur des fils de fer pour la partie verticale et par la suite pour la partie horizontale. Les attaches qui lient les rosiers aux fils de fer devront être assez lâches, afin de ne pas gêner la pousse des branches.

Pour une autre façade, je vous propose 'Madame Grégoire Staechlin': il est particulièrement accommodant et accepte de fleurir sur un mur exposé au nord.

FLÂNERIES

Les chemins et les allées

UN JOLI POINT DE VUE

C'est l'équilibre du plan de ce jardin qui nous charme. Sa simplicité aussi est un atout. N'imaginez pas qu'il faille un travail considérable pour atteindre cet équilibre. C'est parce que c'est simple que c'est beau.

1) Une allée centrale de 2 m de largeur.

2) Quatre ifs taillés en cônes marquent le centre du jardin, autour d'un bassin en pierres.

3) La plantation est faite par planches compactes d'une même variété, répétée dans la bordure de face, mais un peu décalée : des sisyrinchiums, des oreilles-d'ours *(Stachys olympica)*, des véroniques. Quelques œillets au bord de l'allée sont permis. La largeur de ces plates-bandes-bordures – on ne peut pas les appeler autrement – ne devra pas être inférieure à 3 m. Comme l'allée est en gravier, les fleurs peuvent s'épancher tant qu'elles veulent… Elles n'ont pas de gazon à abîmer.

Par ailleurs, on peut aussi créer un joli point de vue en faisant le choix d'une plantation basse, sur dallage, et en une seule couleur : ici, à gauche, le blanc.

LE PARTI DE L'OMBRE

Un chemin à l'ombre peut être aussi attrayant qu'un chemin au soleil si on prévoit au départ une plantation adaptée. Il faut réaliser qu'en général un chemin qui ne reçoit pas de soleil est souvent humide : le gazon pousse mal et les mauvaises herbes poussent bien. Il vaut alors mieux faire quelques travaux d'aménagement au départ pour avoir le minimum d'entretien par la suite.

CONSEILS

Commencez par décaisser sur une profondeur d'un demi-fer de bêche. Tassez bien le chemin. Les graviers seront étendus sur une épaisseur de 5 cm au minimum. Si vous êtes dans une région pluvieuse, il serait raisonnable d'être plus généreux. Posez des dalles pour permettre une marche confortable.

Les hostas, les fougères et les hellébores s'adaptent à merveille et seront tous plantés en mars-avril. Ces plantes ne demandent aucun entretien, sauf de l'arrosage si le temps est très sec lors de leur premier été.

ALLÉE DE VERDURE

Voici comment un simple coteau gazonné devient, en quelques promenades à la tondeuse, un véritable « sujet de conversation » (*conversational piece*, comme disent les Anglais). Le dessin des marches a été creusé à la bêche et les bords sont retenus par des lamelles de bois, vite cachées par les pousses de gazon. La pente naturelle du coteau a été conservée sur chaque marche, ce qui rend les tontes parfaitement aisées. Nul besoin d'une si grande étendue pour réaliser cet escalier de verdure, toute pente, pourvu qu'elle soit légère, s'y prêtera volontiers.

ATOUT COULEUR

Voici une fête de couleurs aux mois de mars-avril. Il faut savoir au départ que les tulipes, contrairement aux autres bulbes, comme les jonquilles, ne restent pas en terre après la floraison ; mais ce spectacle « vaut bien le dérangement ». Ce qui fait la réussite de cette scène est que l'on a bien séparé la gamme de couleurs fortes, le rouge, de la gamme de couleurs plus claires, le rose et le blanc. Le couvre-sol dans lequel ont été plantées les tulipes rouges est composé de gueules-de-loup jaunes et rouges. Pour donner une base claire aux tulipes roses, on a utilisé des saxifrages. La mise en place des tulipes peut se faire à partir du mois de novembre, mais il faut savoir que plus vous les plantez tard, plus elles fleurissent tard. Il m'est arrivé de planter mes tulipes à Noël pour les voir fleurir en mai, alors que plus personne n'en avait.

TROMPE-L'ŒIL

On a souvent recours au trompe-l'œil dans les jardins. Par exemple, pour faire paraître un chemin plus long, la plantation devra être uniforme. Rien de tel qu'une plantation de lavande bordant un chemin. C'est une plante peu exigeante et décorative toute l'année. Quelques arceaux habillés de rosiers grimpants offrent un attrait supplémentaire.

CHOIX DE ROSIERS

Mon choix se porterait sur 'Constance Spry', 'Madame Caroline Testout', 'Ballerina' grimpant ou 'Iceberg' grimpant, le meilleur rosier blanc pour ce genre d'exercice.

L'allée de galets est plus facile à entretenir et plus pratique, surtout s'il s'agit d'un chemin utilisé pour du matériel : brouette, tondeuse, tracteur. Pour la pose, il vaut mieux une légère couche de ciment sur un sol bien damé. L'utilisation d'un niveau est indispensable pour obtenir une base bien uniforme.

PARCOURS FLEURI

Si c'est de la couleur que vous recherchez – de la couleur « vite faite », pour un résultat immédiat assuré –, prenez modèle sur ce parcours fleuri qui suit son petit bonhomme de chemin. Quand on n'a pas besoin d'un jardin des quatre saisons avec ce que cela implique d'entretien, on peut obtenir un fleurissement d'au moins quatre mois avec une plantation généreuse d'impatiens. La mise en place à partir de plantes en godets se fait en juin. Résistez à deux tentations : celle de les acheter déjà en fleurs et celle de les planter trop serrées. Des espacements de 0,30 m entre elles suffisent amplement. La largeur de la bordure dépend de la largeur de l'allée : plus celle-ci est large, plus on sera généreux avec les impatiens. Un bon moyen d'économiser les impatiens est de faire une plantation par groupes réguliers, espacés par des largeurs de gazon : 3 m de fleurs et 2 m de gazon, puis 4 m de fleurs et 3 m de gazon, compte tenu de la longueur du chemin.

JEUX DE COULEURS

On peut obtenir un joli résultat en jouant avec la couleur des fleurs : du rose pâle au départ du chemin allant vers le rose soutenu, pour avoir une palette de plus en plus foncée. Les dalles, ici en pierres hexagonales, ont été posées sur un lit de sable dans la découpe du gazon. Si le terrain n'est pas plat et stable, on a intérêt à faire un léger ciment.

UNE ARCHE DE CYPRÈS

Ne soyez pas pessimiste ! Il ne vous faudra pas toute une vie pour obtenir ces arches spectaculaires de 5 m de hauteur, seulement quatre ans, si vous prenez des sujets de 2 m de haut. Demandez à votre pépiniériste des cyprès insensibles au chancre (*Coryneum*), qui peut attaquer certaines variétés. Pour mettre toutes les chances de votre côté, plantez-les en fin d'hiver ; comme tous les persistants, la reprise n'en sera que meilleure. Une bonne terre de jardin leur convient. Les cyprès se moquent du calcaire, mais ils aiment bien être soignés au moment de la plantation. Une bonne poignée de sang séché, une d'os broyé et du compost pour mulcher dans le trou de plantation seront appréciés.

L'ARCHE

Pour obtenir la forme de l'arche, faites les gabarits ou arceaux avec les tuyaux dont se servent les électriciens pour passer leurs fils ; vous les trouverez dans les grandes surfaces au rayon bricolage-électricité. Le cyprès peut être très facilement attaché à un tuyau, enfoncé de 0,60 m en terre. Une taille par an, en août ou en avril, suffira, si nécessaire, pour assurer l'élégance de l'arche. N'oubliez pas, l'arrosage est primordial.

QUELQUES PAS JAPONAIS

Ce sont des pas japonais qui vous permettront de vous promener parmi les lavandes, les thyms, les bourraches (*Borrago officinalis*) et les santolines. C'est ce que l'on appelle «un jardin sec», où toutes les plantes ont besoin de soleil plus que d'eau. Les Anglais appellent ces *Lavandula stœchas* les lavandes françaises. Pour une fois que l'on nous octroie la paternité d'une plante, acceptons-la. Les fleurs ne sont pas bleues mais blanches ou rouge-mauve, en gros épis. La floraison en mai est plus courte que celle des lavandes anglaises ou hollandaises, mais elle est très parfumée.

UNE ARRIVÉE THÉÂTRALE

Quand on sait le temps qu'il faut pour former une belle allée, pour créer un vista d'accès à une propriété, on est ravi de découvrir cette tonnelle de grande allure. Le choix des arbres s'est porté sur les peupliers parce qu'ils poussent très vite, ignorent la pollution et n'ont pas d'idées très arrêtées sur la qualité de la terre. Mais l'astuce c'est la plantation : espacés de 5 m, ces peupliers sont plantés légèrement en biais, ce qui leur a permis de se rejoindre très vite.

UN BERCEAU DE VERDURE

Il est nécessaire, à la plantation, de prévoir de solides tuteurs d'au moins 3 m de haut, de manière à guider les troncs sans risque de les voir déplacés par le vent. Quand la hauteur désirée est atteinte – exercice périlleux –, il s'agit de réunir les flèches, de les attacher et de couper 0,25 m aux extrémités, ce qui donnera plus de vigueur aux branches latérales qui devront former l'épaisseur de la tonnelle. L'arrosage en été est essentiel les premières années pour assurer le succès de la plantation. Au bout de trois ou cinq ans, les tuteurs pourront être supprimés et vous aurez un « berceau » de verdure original. On m'assure que les platanes sont des sujets idéaux pour une telle réalisation. Je crois que c'est l'option que je prendrais… même si la pousse est plus lente.

UNE ALLÉE D'IFS

La majorité des ifs d'Irlande sont « décapités », ils forment le cloisonnage d'une allée de grande originalité. La pose de dalles en *opus incertum* a laissé la possibilité de se promener à travers les plantes qui se sont établies dans les interstices : sédums, cistes, hélianthèmes. C'est avec la maturité que les ifs jouent leur rôle structural, mais le charme du chemin planté fait son effet dès son établissement. Les dalles doivent être posées sur un lit de sable et légèrement cimentées pour être plus stables. La plantation dans les interstices ne doit pas être trop dense pour ne pas gêner le promeneur.

UNE PONCTUATION DE COULEURS

Il est intéressant de prévoir quelques plantes qui gardent leur couleur en hiver comme les bruyères (*Erica*), les *Hebe* et les thyms et d'éviter les couvre-sols étalés comme l'aubriète. C'est une plantation-ponctuation que l'on recherche et non pas une plantation d'envahisseurs. Les ifs devront être plantés en automne en même temps que seront posées les dalles, et la végétation pourra être mise en place au printemps, après les gelées.

REPOS ET RÊVERIE

Les bancs

L'ART DU SIÈGE

Un jardin sans banc est comme une maison sans siège. Impensable, n'est-ce pas? Il y a bien sûr les bancs que l'on trouve dans le commerce, parfois très beaux, parfois très chers et puis il y a les bancs de fortune (sans fortune) que l'on combine, que l'on bricole, des bancs qui sortent de l'ordinaire, bien intégrés dans leur verdure. Quand vous placez un banc dans votre jardin, choisissez son emplacement avec autant de soin et de logique que celui d'un canapé dans un salon : qu'il tourne le dos à ce que vous ne voulez pas regarder, qu'il vous entoure et vous invite. C'est là la véritable fonction du banc : l'invitation. Et si votre jardin ne présente pas un endroit évident pour s'asseoir, trouvez le prétexte d'un bout d'allée pour monter un muret de 0,50 m… Voilà un salon intime qui a un petit air de « je-suis-là-depuis-toujours ».

BANC FLEURI

Ce banc entouré de roses et de géraniums est un coin de détente.

Les dalles de pierre ont été simplement posées sur un muret en pierres pour constituer le siège du banc. La plate-bande derrière le banc est composée de rosiers buissons, et de géraniums vivaces, dont la floraison dure tout l'été. Introduits dans des trous aménagés dans le dallage du sol, ils seront bien protégés.

BANC À L'OMBRE

J'ai remarqué que l'on ne « plante » pas son banc toujours où l'on veut dans un jardin, mais où l'on peut. Chaque fois que l'on peut improviser un siège au lieu d'en acheter un, c'est toujours une grande source de satisfaction. Ici on a profité d'un tronc d'arbre inutilisé pour créer un banc original. Il a suffi de scier un tiers du tronc dans la longueur pour avoir un dossier. Celui-ci est fixé contre le tronc d'un arbre bien placé et les deux tiers de tronc restants forment le siège. Simple mais réussi, un coin de rêve à l'ombre.

TOUT EN VERT

Pour créer ce siège de verdure, il faut tout d'abord commencer par positionner le siège. Celui-ci peut être en pierre ou en bois. La deuxième opération consiste à planter les ifs pour les accoudoirs et le dossier, et, enfin, la jupe qui cachera les pieds du banc.

Si l'on veut un résultat dense et rapide, plantez à une distance de 0,40 m chaque arbuste. Ensuite, la taille de la première année est importante : taillez bien les côtés des accoudoirs et le fond du dossier, ce qui donnera plus de densité pour l'année suivante, au moment où vous réglerez les hauteurs.

BANC MAISON

Il est « fait maison », il a l'air tellement chez lui dans ce coin de prairie que l'on ne lui résiste pas. Utilisez le bois le plus sec possible et espérez qu'il durera quelques années. En tout cas, il ne vous aura rien coûté et il est tellement sympathique assis parmi les fleurs sauvages.

BANC BALLADEUR

Il y a deux sortes de bancs dans un jardin : les fixes, c'est-à-dire ceux que l'on peut créer soi-même, et les «ambulants» beaucoup plus utiles que l'on ne pourrait croire au premier abord. On les positionne selon l'ensoleillement, selon la floraison ou selon son humeur. Si, dans un jardin, vous apercevez quelques recoins dallés, vous pouvez être sûr que ce sont des endroits privilégiés pour y installer un banc, le moment idéal venu.

BANC CHIC

On ne peut pas se tromper, c'est du B.C.B.G. (bon chic, bon genre).

Adossé à une haie, ce banc est simplement posé sur deux montants en pierre soigneusement camouflés par des ifs (*Taxus baccata)* strictement taillés. La décision à prendre : allez-vous acheter ces topiaires-ifs déjà taillés, tout prêts pour mise en place – deux cônes et deux cubes –, ou allez-vous être patient et raisonnable et acheter de petits sujets pour les voir grandir et les former vous-même ? Bien plantés, bien arrosés et bien nourris avec une poignée de sang séché et de corne torréfiée, les ifs poussent beaucoup plus vite que l'on ne peut croire... 7 à 10 cm par an est une estimation raisonnable.

HAUTS ET BAS

Les marches et les escaliers

ESCALIER POUR INNOVER

Donnez libre cours à votre imagination et à votre envie de créer !

Grandiose ou intime, d'apparat ou fonctionnel, l'escalier du jardin est un lieu à réinventer.

L'un se faufile à travers la rocaille comme s'il se frayait un passage tant bien que mal. L'autre, bien assis, est en grosses dalles de vieille pierre usée, irrégulières et scellées dans ce terrain pierreux. La plantation de bric et de broc a le charme d'un travail « fait maison » ; on plante ses « coups de cœur » : campanules *(Campanula portenschlagiana)*, thlaspi en gros coussins blancs, potentille jaune... et tout ce qui vous passera par la tête. Mais quel que soit votre choix, plantez bien dans des poches de terre, que vos plantes apprécieront d'autant plus que vous incorporez une poignée de sable avec du terreau de feuilles autour du collet.

ÉTONNANT ESCALIER

Voici un escalier qui étonne et qui a un impact certain. Les propriétaires ont su résister à la tentation « d'habiller » ces marches qui semblent sautiller le long de la pente engazonnée. Il faut impérieusement de la vieille pierre pour arriver à ce résultat. La rugosité des dalles irrégulières compte beaucoup dans l'esthétique du tableau final.

LES MARCHES

L'emplacement des marches a tout d'abord été creusé à la bêche. Ensuite, on a utilisé la technique de construction des murs en pierres sèches pour bâtir chacune des marches et garantir une bonne stabilité à l'ensemble. Des « paliers » de gazon… c'est le détail qui donne l'allure générale.

MARCHES EN DEMI-LUNE

Les marches en demi-lune conçues à partir de briques taillées sont l'œuvre d'un maçon chevronné. Notez les rondins au sommet de la dernière marche qui servent à protéger le gazon. La plantation reste sobre pour laisser la vedette aux marches, quelques hostas et du petit lierre soulignent les courbes et découragent les mauvaises herbes.

ESCALIER DEUX TONS

Une symphonie en deux tons : bleu et jaune bordent la courbe de cet escalier avec les *Primula florindae* et les acanthes. Deux points d'exclamation : les imposantes ligulaires au sommet des marches et, au départ, le grand feuillage découpé des cardons (*Cynara cardunculus)* qui peuvent atteindre plus de deux mètres de haut. Un gros chardon, avec ses fleurs en pompons violettes, a besoin d'une terre bien drainée pour prospérer et atteindre les hauteurs, tandis que les autres plantations choisies aiment l'humidité et la fraîcheur... Chacun son régime, il faut en tenir compte.

DES TRAVERSES

On a pu obtenir des traverses de chemin de fer pour les marches de cet escalier. Leur aspect massif et rustique convient à merveille au style de la plantation. Pour les stabiliser et pour prévenir l'érosion par les pluies, les traverses devront être enterrées pour être à ras des gravillons. Une fois les traverses en place, il faut retirer environ 8 cm de terre entre chaque marche pour la remplacer par des gravillons qui seront posés sur un lit de 4 cm de sable. Si l'on veut travailler en « perfectionniste » et s'assurer de ne pas avoir de mauvaises herbes dans l'escalier, on devra poser une feuille de polystyrène entre le sable et le gravier.

NOBLESSE ET SOBRIÉTÉ

Pour border un noble escalier en pierre, la simplicité s'impose aussi bien dans le choix d'une espèce unique que dans la sobriété des couleurs. Ici le blanc et le jaune pâle ont été retenus avec des arctotis, qui fleurissent dans le Midi depuis le mois de juillet jusqu'aux petites gelées. On a intérêt à ajouter quelques poignées de sable à la plantation et à n'utiliser des arctotis que si on peut leur assurer un minimum de six heures de soleil par jour.

CONTRASTE DES MATIÈRES

Ce sont les deux boules de taille inégale qui ancrent ce petit paysage et lui donnent son originalité, par le contraste entre les formes sphériques en matière moderne et la rugosité naturelle des marches. On trouve parfois des boules en ciment dans certaines jardineries, sinon on peut demander à un maçon de fabriquer des boules ou des cubes qui font bon effet.

La lavande au premier plan de la plantation et le rosier, probablement 'Stanwell Perpetual', bloquent le coin des marches irrégulières.

VERT POUR L'ANNÉE

Si l'on souhaite un feuillage généreux toute l'année, cette plantation est une démonstration de ce que l'on peut faire avec une seule variété de plante. Il y aura bien sûr une floraison de hampes roses en été.

UNE PLANTE FACILE

Les bergenias en question sont les moins exigeantes des plantes, ils acceptent toutes les terres et toutes les expositions. Les bergenias ont une autre particularité et un avantage certain : les racines se serrent et s'enchevêtrent. Plantez bien dans des poches d'une terre que vos plantes aiment, à laquelle vous aurez ajouté une poignée de sable avec du terreau de feuilles autour du collet.

EN SPIRALE

C'est pour accéder à un petit patio que l'on a construit cet escalier en spirale, qui, comme l'escalier en colimaçon, prend un minimum de place. Aucun mortier n'a été utilisé, les rondins de pin ont été enfoncés directement dans la terre à une profondeur de 0,30 m, puis une couche de sable a été étendue en finition. La plantation a été écartée autant que possible à cause de l'arrosage. Une rampe en rondins permet d'éviter les chutes, le bois mouillé étant très glissant.

DOUCEUR DE VIVRE

Cours, patios et terrasses

JARDINS ASTUCIEUX

On a privilégié l'aspect ornemental de ce petit potager à la française, sans complètement sacrifier l'utilitaire. En dessinant les « tracés », on peut facilement, comme ici, tricher avec les perspectives sans nuire au résultat final. Les plantations d'une même espèce sont réparties sur une quinzaine de jours pour échelonner les récoltes et éviter les trous. Pour les salades, planter des variétés ayant des feuilles de couleurs différentes permet d'obtenir l'effet « jardin à la française ». Au mois d'octobre, ce jardin change totalement de fonction. Afin de ne pas être seulement un « ex-potager », tous les espaces nus du jardin sont plantés de tulipes unicolores sur un fond de myosotis… À la fin du printemps, changement de décor, on retire les tulipes pour préparer la mise en place des légumes en incorporant du fumier dans la terre de plantation.

À gauche, c'est un jardin pour l'ouïe. Accroché à un arbre dans un coin du jardin, un chapelet de clochettes, dans lequel jouera le vent, vous transportera trois siècles en arrière, dans quelque lointaine pagode.

LIEU MAGIQUE

Il y a des coins de rêve que l'on ne crée pas, ils apparaissent au fil des ans. On ne les remarque même pas jusqu'au jour où quelqu'un s'extasie : « C'est ravissant, comment as-tu fait ? » L'harmonie se dégage des végétaux, les matériaux – bois, pierre – s'intègrent, la lumière joue également son rôle… Mais impossible de le reproduire, on ne peut que s'en réjouir et s'en inspirer : un vieux mur dans lequel on laisse une ouverture, quelques vieilles dalles pour faciliter le passage, un petit réservoir d'eau plus utilitaire que décoratif, des petites plantes qui veulent bien se nicher dans les coins. De l'autre côté du mur, dans le « vrai » jardin, delphiniums et lupins lancent leurs épis.

UN AIR DE JAPON

« Sérénité » est le mot qui définit le mieux le jardin japonais. Même si cette petite cour ne relève pas de la tradition japonaise, son air de calme, de propreté et de parcimonie végétale nous incite à penser au Japon. Nous marchons sur ces pierres plates, que nous appelons des « pas japonais », tandis qu'un Japonais les installe seulement pour les contempler. Mais ici, dans ce petit patio, les choses sont moins formelles. N'essayez surtout pas de rechercher des pierres de taille et de forme semblables, c'est la diversité qui devra vous inspirer. Un érable du Japon dans un angle, un aucuba dans l'autre s'intègrent bien dans ce coin de calme. Je dois avouer que l'aucuba, dont nous avons un échantillonnage souvent déprimant dans nos squares parisiens, m'a souvent paru presque inutilisable dans nos jolis jardins... Je me suis trompée, un beau spécimen avec son feuillage persistant panaché apporte une note heureuse dans cette scène quasi minérale.

L'eau étant un élément essentiel du jardin japonais, un petit bassin en galets se conforme à la tradition sans dominer la scène. Un écran de bambous sert à isoler le jardin de toute intrusion étrangère ; nous sommes dans un lieu clos et paisible. L'avantage de ce type de jardin est qu'on peut le créer en toute saison, puisque les arbustes sont achetés en pot.

JARDIN MÉDITERRANÉEN

L'idée du patio méditerranéen, dont les cactus sont l'ornement essentiel, nous arrive des États-Unis. À propos des cactus, les Israéliens disent que leur fruit est comme les filles israéliennes : douces à l'intérieur et piquantes à l'extérieur. Situés en plein soleil, les murs blanchis accentuent et reflètent la clarté que les plantes exigent.

PRÉCAUTIONS

La protection des gants de jardin n'est pas assez efficace lors de la plantation. J'utilise, pour une main, un gant de cuisine, dans lequel je mets une triple doublure de papier journal et je travaille en sécurité. On peut mêler aux cactus quelques plantes « supporters » qui, elles aussi, aiment un régime frugal, comme des cistes et des arbustes à feuillage argenté.

DÉCOR DE RÊVE

Tête à tête devant un rosier : choisissez votre arbuste le plus spectaculaire et, quand il atteint sa splendeur, apportez deux chaises et une table. Le décor est posé. Cela me fait penser au théâtre de Shakespeare où l'on apporte les décors selon les besoins de l'acte... le matériel est retiré quand l'acte est terminé. Quand l'arbuste défleurit, emmenez votre mobilier ailleurs. Il y a des jardins où il est difficile de déterminer un emplacement pour s'installer et se retrouver. Il faut savoir être opportuniste pour inventer ce coin de repos, qui d'ailleurs n'est même pas un coin. Il s'agit tout simplement de repérer dans une bordure ou dans n'importe quel lieu du jardin l'arbuste le plus spectaculaire. Ici c'est un rosier, mais cela aurait bien pu être un hortensia, un rhododendron ou un lilas.

L'ARBUSTE VEDETTE

Ensuite, le travail consiste à retirer les plantes trop proches de votre arbuste-vedette, de manière à lui donner un maximum d'importance. Posez d'une façon informelle quelques pierres sur une surface juste assez large pour contenir le mobilier de jardin nécessaire. N'encombrez pas trop la place, vous retireriez l'intérêt de la plante. Vous avez là un « endroit d'appoint » où vous pouvez vous réjouir de la vue. Le fait d'avoir placé ces quelques fauteuils attire le regard vers une plante qui offre un certain intérêt, alors qu'elle disparaissait jusque-là parmi d'autres végétaux.

JARDIN POUR LES SENS

Ce coin pour rêver a été créé à Chelsea pour les non-voyants, dont on sous-estime ou néglige trop souvent la capacité d'apprécier les jardins. La particularité de ce style de jardin fait que ce ne sont pas seulement les parfums qui ont la priorité, l'ouïe et le toucher sont également sollicités. Commençons par les parfums. Nous sommes tous d'accord pour que les lis remportent la palme. On a planté plusieurs groupes de bulbes. Pour le toucher, on a choisi le *Fœniculum* – c'est le fenouil que l'on emploie en cuisine – dont le feuillage écrasé entre les doigts dégage une forte odeur d'anis. On aurait aussi bien pu utiliser le tabac d'ornement pour le parfum et une sauge pour le toucher.

NOTES DE MUSIQUE

Pour le son, on a accroché une collection de bambous secs de longueurs variées, qui sonnent sous l'effet du vent ou quand on les heurte. On obtient alors des sonorités différentes. Il s'agit là d'une musique du vent pratiquée plusieurs milliers d'années avant Jésus-Christ.

Pour rendre ces jardins plus confortables, la plantation est faite dans des bacs surélevés ; ils peuvent alors avoir de l'intérêt pour tout le monde... surtout pour ceux qui trouvent la terre trop basse.

TERRASSE DE GRÈS

Ce sont des pavés de grès qui constituent cette terrasse, posés directement sur un lit de sable, sans joints de ciment. Après la pose des pavés à touche-touche, il y a lieu de couvrir la surface de gros sable de rivière que l'on brossera dans les joints. Quelques graines de gazon suffisent pour compléter le travail.

PLANTATION EN ÎLOTS

La plantation se fait dans des espaces de tailles variées. Des bouquets de phlox, d'œillets, d'hélianthèmes, de verges d'or assurent une floraison d'été. Pour assurer plus d'intimité à cette surface minérale, elle est entourée d'une petite haie d'ifs (*Taxus*), dont la hauteur permet une vue au-delà du jardin. Ces aires de plantation séparées sont d'un accès facile pour l'entretien des plantes.

JARDIN SUSPENDU

Paniers suspendus et vasques habillent ce patio couvert. Les paniers suspendus peuvent être facilement atteints. Une vasque en pierre avec un palmier et un banc «meublent» le patio et lui enlèvent son côté «serre». Le sol est recouvert de dalles de ciment posées sur un lit de sable et légèrement cimentées.

LES FLEURS

Santolines, lavandes et une majorité de fleurs blanches renforcent le thème «argenté» de l'ensemble. Groupées et serrées dans leurs pots, les plantes créent leur microclimat et offrent l'avantage d'être plus faciles à arroser.

BAIN EN PLEIN AIR

Il y a ceux qui chantent dans leur bain, et puis il y a ceux qui lisent dans leur bain et ceux qui rêvent dans leur bain. Dans un jakusi, on peut faire les trois simultanément. Voici une terrasse... organisée en salle de bains de plein air. Un coin peu habituel mais tellement agréable pour se prélasser dans l'eau. Mais il vaut mieux choisir son climat; ici, nous sommes en Australie. Des stores en bambou protègent du soleil et des regards indiscrets.

PLANTATIONS

La plantation en pots et les paniers suspendus sont renouvelés selon les saisons. Des cannas, des lins de Nouvelle-Zélande (*Phormium*), des fougères ou des orchidées feraient d'admirables plantations en pots, tandis que les paniers suspendus pourraient être composés de fleurs annuelles : bégonias...

JARDIN EN BAC

Pour s'offrir un « sink garden », traduisez « jardin d'évier », nul besoin de posséder un jardin ; une simple cour fera l'affaire. Commencez par faire les foires à la ferraille pour ramasser des éviers et petits abreuvoirs. Ce seront vos petits jardins individuels, dans lesquels vous ferez une collection de plantes alpines : vous découvrirez des trésors parmi les sédums, les gentianes, les saxifrages, les crucifères, les primevères. Les bulbes aussi figureront dans vos jardins en miniature.

UNE BONNE TERRE

Évitez l'emploi de grosse terre de jardin, un mélange d'un tiers de terreau, un tiers de gros sable et un tiers de tourbe convient mieux à ces plantes. Dans le fond des éviers, prévoyez (sur un quart de la hauteur) des cailloux qui assureront un bon drainage à ces plantes qui n'aiment pas avoir les pieds dans l'eau.

Ici une plantation de saxifrages (*S. cochlearis*) entoure quelques vieux bacs en pierre. Autre intérêt de ces plantations individuelles, vous pouvez remplir certains éviers de terre de bruyère, ce qui vous donne une grande liberté de plantation. Du gravillon fera un « couvre-sol ».

SOUS LE SOLEIL

Un demi-cercle de dalles de pierre crée ici un espace plat, abrité des vents, au soleil et au sec. Une plantation pour habiller la façade est souvent un problème avec les tuyaux enterrés (eau, électricité) qui empêchent de creuser pour planter. Ce problème peut toujours être résolu grâce à la confection d'un bac en pierres sèches pour la plantation de plantes grimpantes. Seule précaution : ne pas oublier de prévoir quelques trous dans le fond du bac, puis un lit de cailloux pour que les trous ne se bouchent pas.

COIN À ROSIERS

C'est un endroit idéal pour planter des rosiers sarmenteux qui font des pousses de 1 m et plus par an et qui ne nécessitent pas de taille particulière ; je pense à 'Kiftsgate', 'Bobbie James', 'Félicité et Perpétue' qui supportent l'ombre, à 'Kew Rambler' qui peut couvrir 6 m.

Ombre fleurie

Les pergolas et les tonnelles

TONNELLE DORÉE ET PERGOLA FLEURIE

À gauche, c'est une tonnelle dorée avec les grappes de cytise (*Laburnum*) palissées sur des arceaux. Des bouquets de lysimaques plantés au pied des arbres masquent la base des troncs. Pour créer cette allée dorée, les arbres devront être plantés assez jeunes, avant que le tronc n'ait une trop grande rigidité. Ils peuvent, comme ici, être palissés sur des arceaux en fer, mais j'aime mieux les planter avec des tuteurs en bois de 2 m de haut. Quand ceux-ci sont pourris, les arbres sont solidement établis et l'on peut former l'arche avec les branches du haut; on ne voit pas de tuteurs. Il faut toutefois rappeler les deux inconvénients des cytises : premièrement les graines et les fleurs sont un poison – donc, attention aux enfants –; ensuite, après le défleurissement, on se trouve avec des centaines de grappes de fleurs desséchées qui restent collées aux branches; et ce n'est pas une mince affaire que de faire leur toilette au sécateur. Dans le même esprit, on peut utiliser des glycines aux grappes de fleurs mauves ou blanches. Un autre choix : une plantation de *Digitalis alba*, de roses et d'œillets qui s'appuie contre une pergola en bois rustique habillée de 'Cécile Brunner'. Cette pergola donne un « fond » à la plate-bande et permet l'établissement de rosiers grimpants, une formule heureuse quand il n'y a pas de mur à palisser.

PERGOLA COULOIR

Les pergolas du jardin sont comme les couloirs de la maison qui mènent d'une pièce à une autre. Dans le jardin, il est agréable de s'y perdre.

Ici, c'est une structure légère qui convient le mieux à un petit jardin. Celle-ci, peinte en bleu clair, est plus un élément décoratif qu'un support pour plantes.

JEU D'ILLUSION

L'astuce de cette pergola est qu'elle donne l'illusion de « distance », ce qui explique l'espacement des poteaux et la pose des pièces de bois disposées horizontalement. La végétation est légère, ce qui « allonge » encore davantage l'allée. Les poteaux devront être plantés dans du ciment pour éviter le pourrissement au contact de la terre.

POUR LE CHARME

Voici une arrivée pleine de charme, avec un mélange de simplicité et de recherche. Le petit portail en bois est sans prétention, mais les montants en pyramide aux extrémités des balustrades démontrent une recherche raffinée. Le tout est coiffé d'arceaux de rosiers, chacun d'un ton différent. Ces arceaux sont en fer, utilitaires et non décoratifs. Pour obtenir un tel effet de fleurissement, il y a lieu de choisir des variétés de roses dont les branches souples se laissent palisser. Je pourrais suggérer 'New Dawn' qui n'arrête jamais de fleurir et de « parfumer ». Il y a également 'White New Dawn' qui est la variété blanche, 'American Pillar' dont les corymbes de roses simples sont illuminées au centre d'un œil blanc, 'Félicité et Perpétue' dont la floraison dense, blanc-rosé supporte très bien l'ombre partielle.

POUR LES OISEAUX

Cette table placée à l'abri d'une pergola n'est pas purement décorative, malgré les petites sculptures d'oiseaux posées dessus. C'est vraiment la salle à manger des oiseaux qui trouveront ici, pendant l'hiver, de quoi améliorer leur ordinaire. Pourquoi sur une table et non pas ailleurs, demanderez-vous ? Parce que les mulots, souris et autres voleurs ne peuvent pas l'atteindre.

TONNELLE SECRÈTE

Une tonnelle enfouie dans la verdure avec son « jardin suspendu » est une retraite secrète en bordure d'un bois. Six piliers en bois devront être surmontés d'un cercle en bois qui dépasse les montants d'au moins 0,40 m, pour créer un effet d'auvent. Le « plafond » pourra être fait avec un treillage solide car il devra supporter le poids de la terre humide, bien plus lourde que la terre sèche. Pour ne pas voir tomber la terre à l'intérieur de la tonnelle, une astucieuse précaution consiste à recouvrir le treillage d'une feuille de polystyrène percée de quelques trous pour l'évacuation des eaux de pluie.

JARDIN SUSPENDU

Pour la plantation, l'idéal est d'installer des plaques de gazon, découpées sur un coin de votre pelouse ou achetées en « prêt-à-poser ». Si vous incorporez quelques graines de pavot, de marguerites ou autres graines de fleurs sauvages dans votre jardin suspendu, vous obtiendrez ce joli résultat. Je peux vous assurer, en ayant fait l'expérience, que les arbres avoisinants ainsi que les oiseaux se chargeront des autres plantations. J'ai découvert un jour un chêne et un sorbier installés sur mon toit… mais je les ai délogés illico.

LA ROSERAIE

L'effet luxuriant de cette roseraie que l'on peut admirer dans le jardin de Nymans, dans le Sussex en Grande Bretagne, est obtenu grâce à un foisonnement des formes de présentation des rosiers. Tout d'abord, des arbustifs dans les plates-bandes, ensuite des grimpants sur des arceaux en fer et enfin des rosiers buissons sur des poteaux en fer. On peut se contenter d'une floraison spectaculaire de plein été, alors tant pis si les variétés de rosiers ne sont pas remontants. Mais si l'on souhaite prolonger la floraison durant tout l'été - et c'est mon cas - avec des rosiers à floraison continuelle, il faut choisir des variétés remontantes. En tous cas, il faut généreusement récompenser leur effort avec un apport d'engrais au printemps, dès le départ de la végétation, et un deuxième apport après la première grande floraison. Il est essentiel que la plantation soit bien préparée à l'avance, avec une terre bien bêchée et enrichie de compost et de fumier. N'oubliez pas que vous demandez aux rosiers de belles performances ; alors nourrissez-les bien. Les arrosages devront être réguliers tout l'été, selon la température, et les fleurs fanées devront être retirées. Cette roseraie peut être conçue quel que soit l'espace, même réduit, l'effet n'en sera que plus spectaculaire. Le sol peut être soit gazonné, soit en dallage (*opus incertum*) cimenté.

PERGOLA FACILE

La pergola sur arceaux en fer est la plus facile à exécuter, il faut seulement avoir soin d'enfoncer les fers assez profondément pour qu'elle ne soit pas menacée par le vent. Prévoir 0,30 m d'enfoncement est un minimum. Rien de tel qu'une pergola pour marquer la séparation entre deux parties du jardin. Les roses... de votre choix.

PERGOLA TOURNANTE

Une pergola qui suit le mouvement tournant d'une allée en épousant les niveaux du jardin est extrêmement facile à réaliser. Les arches ne devront pas être reliées les unes aux autres, mais posées séparément, comme autant de portes bordant l'allée. Pour ne pas paraître « maigres », les poteaux, en chêne, devront être de 15 cm sur 15 cm. On peut se procurer des éléments de ce type dans les bonnes jardineries. Habillage de type classique : rosiers à votre choix.

ARCEAUX DES CHAMPS

Il est rare de voir une pergola plantée en plein champ, sans allée dessinée et sans bordures plantées. Pourtant cette économie de moyens est efficace, car la pergola sert de pôle d'attraction vers un banc et nous offre un élément décoratif en harmonie avec « l'espace-champ ». Les arceaux et les transversaux sont en fer, tous largement écartés. Les végétaux choisis conviennent bien à « l'espace-champ », il s'agit d'une vigne classique (*Vitis vinifera*) et d'une vigne d'ornement (*V. coignetiae*). Imaginez cette scène en automne quand les vignes, qui peuvent atteindre plusieurs mètres, se parent de couleurs d'automne, la vigne d'ornement devenant pourpre. Et la vigne, même utilisée en grimpante d'ornement, donne aussi du raisin, un avantage à ne pas négliger.

TABLEAU CONTEMPORAIN

Nul besoin d'une surface importante pour avoir un effet de rocaille avec peu d'efforts. L'idée de positionner deux grosses pierres entre lesquelles serait planté un arbuste de qualité est une idée simple. Ici, l'arbuste est un érable du Japon dont le ravissant feuillage découpé se colore en automne. L'espace entre les deux pierres a été comblé avec de gros galets qui protègent la plante aussi bien de la sécheresse que du froid.

PIERRES ET ROCHERS

Les rocailles

DUO JAUNE ET VIOLET

Quelques grosses pierres délimitent les touffes de couleur. Il a fallu peu de choses dans ce coin bien « mulché » avec du copeau de bois, mais la palette de couleur n'est pas banale. Seulement deux variétés de plantes habillent ce coin du jardin : les santolines (*Santolina virens*), dont il faut couper les petites fleurs jaunes pour conserver la forme dense, et des bouquets de lavandes à toupet (*Lavandula stœchas*). Attention, il ne s'agit pas de lavande à fleurs bleues mais de l'espèce à fleurs en épis rose violacé délicieusement parfumées.

BORDURE-ROCAILLE

Adossée à un mur, bien masquée par la végétation, voilà une bordure-rocaille bien intégrée dans son cadre. Avec les pierres de la région, on a commencé par délimiter le périmètre, ce qui donne l'emplacement des poches de terre qui constitue l'avant-scène. De petites plantes, dont les bulbes restent profondément enfouis en terre seront recouverts plus tard de plantes estivales. La rocaille étant en pente, comme toute bordure-rocaille qui se respecte, les pierres sont plus volumineuses au fur et à mesure que l'on s'éloigne du chemin. Les poches de terre deviennent également plus importantes, ce qui permet la plantation d'arbustes en hauteur, qui s'étofferont avec le temps. Des touffes de chrysanthèmes et des coulées de géraniums vivaces (ici *G. endressi*) marqueront très vite le contour des pierres. L'entretien de cette bordure-rocaille nécessite la surveillance des mauvaises herbes, il est donc utile de prévoir quelques pierres plates posées par-ci par-là pour poser les pieds et travailler dans le confort et la sécheresse.

RÊVE ÉTERNEL

Cette photo a été prise au mois de janvier. C'est le rêve de tout jardinier qui ne vit pas en climat méditerranéen, un jardin beau, persistant et fleuri toute l'année, même sous la neige, même en montagne. Pour cela, il faut tout simplement choisir les bonnes variétés de bruyère ; celles qui acceptent les terres calcaires et qui fleurissent en hiver. Les bruyères qui vous donneront une variété de couleurs et dont la floraison est persistante sur une longue période sont des *Erica*.

Quelques grosses pierres seront posées sur le terrain de façon à laisser des surfaces de plantation suffisamment espacées pour que les plantes puissent s'étaler confortablement. Les bruyères seront plantées par groupes de trois ou cinq selon l'espace disponible. Des accents forts pourront être obtenus avec la plantation de quelques petits conifères : des genévriers ou des pins mugo qui poussent très lentement. La plantation de cette rocaille de rhododendrons se fait en automne. Les plantes, qui arriveront sûrement en containers, devront être trempées cinq minutes dans un seau d'eau avant d'être dépotées.

PETIT JARDIN

Une petite rocaille à plat, autour d'une « mare », au premier plan devant la maison, peut constituer un joli jardin. C'est dans des poches de bonne terre rapportée que l'on peut planter arbustes, vivaces, annuelles, bulbeuses aromatiques. Pour réussir, il ne faut pas lésiner sur la préparation, c'est-à-dire le décapage de l'herbe existante. Il est important de créer une pente. Si elle est naturelle, tant mieux, sinon il faut l'aménager avec un apport de terre et de gravats pour assurer un bon drainage. Une couche de terre de 15 à 20 cm, sera posée sur le terrain ainsi préparé.

UNE BELLE ROCAILLE

Le plus important est la formation de la rocaille, pour laquelle il vous faut une bonne quantité de pierres. Commencez par poser les pierres pour marquer les limites de la rocaille. Quelques grosses pierres pourront délimiter le point d'eau, d'autres encore constitueront des poches à planter dans lesquelles vous ajouterez de la bonne terre mélangée avec une poignée d'os broyé, une poignée de sang séché et quelques poignées de sable. Arrosez bien… et plantez : sédums, bruyères, alchémilles, lupins, armoises et aubriètes.

ROCAILLE EN COULEURS

Une éblouissante scène de printemps avec des rhododendrons plantés dans des poches de terre de bruyère entre les rochers. Cette rocaille demande peu d'entretien. Les rhododendrons ne nécessitent ni tailles, ni traitements. Seulement, une fois les fleurs fanées, n'oubliez pas d'ôter l'extrémité desséchée en prenant soin de l'enlever avec le pousse et l'index et non avec un sécateur.

Si la terre est trop compacte, on peut ajouter une pelletée de sable lors de la plantation. Enfin, un bon arrosage s'impose.

ROCAILLE ET VERDURE

Des pierres plates posées sur du sable, quelques rochers pour faire du volume et vous avez le cadre d'une plantation qui vous donnera l'illusion d'un jardin méditerranéen. Les plantes que je vous propose pour remplir les vides entre les pierres sont non seulement les plus résistantes, mais aussi les moins chères à l'achat. Ce sont des carex, des oreilles-d'ours... Une fois installées, elles n'auront plus besoin de vos services.

PONT JAPONAIS

Ce paysage fait penser « japonais », probablement à cause de la forme en dos d'âne du pont, ou de la simplification, je dirais discrétion, de la plantation. On imagine un ruisseau... mais ce n'est pas une obligation : l'« effet eau » peut être obtenu grâce à un caniveau creusé en guise de ruisseau et abondamment garni de pierres dans des teintes de gris clair pour mieux simuler l'eau. Le terrain est accidenté, fait d'éclats de rochers et de pierres plates pour permettre l'accès au pont. C'est peut-être la meilleure utilisation d'un terrain rocheux de la sorte, où gazon et parterre poseraient de sérieux problèmes. Peu de couleurs, des eremurus et des sablines (*Arenaria*) donneront une note délicate, un petit conifère ajouterait encore un aspect japonais, mais gardez toute la sobriété de la scène.

DERRIÈRE LA PORTE

Il y avait une porte, et derrière la porte un ruisseau. On a voulu donner une fonction à cette porte en intégrant l'élément eau. Alors, on a utilisé les grands moyens : le ruisseau a été détourné pour lui faire traverser la porte et on a choisi d'aménager deux marches pour donner du relief à l'eau et mieux l'entendre... Évidemment, il vous faudra construire un mur, ouvrir une porte, prévoir un ruisseau... Une image fait parfois surgir une idée, alors que vous n'avez aucun des éléments cités. Rien n'est impossible, n'est-ce-pas ?

Reflets dans l'eau

Bassins, ruisseaux et ponts

PONT SURPRISE

Ils appellent ce pont rouge laqué le « pont surprise » parce qu'un jet d'eau se met en action dès qu'on l'aborde. Des « plaisanteries » de ce genre ont été installées dans de célèbres jardins, en Autriche, où des chaises ont été munies de systèmes de jet d'eau. Ici les bords du petit cours d'eau ont été généreusement plantés avec des hostas, des massettes (*Typha*) et des glycéries. C'est la couleur et l'architecture du pont qui donnent une dimension à ce qui n'aurait été qu'un petit ruisseau. Une astuce à méditer et à adopter quand on veut sortir des sentiers battus.

UN VRAI-FAUX BASSIN

C'est l'illusion qui est le thème de cette scène. Si vous n'avez pas d'eau : mare, rivière, lac ou ruisseau et que cet état de choses vous chagrine, achetez un beau cygne et placez-le à un endroit où vous aurez creusé une légère dénivellation. Tapissez le lieu choisi d'éclats de pierre grise ou d'ardoise. Plantez un fond de végétaux qui rappellent les pièces d'eau : arums, bergénias, iris ; votre cygne donnera l'illusion de nager sur l'eau... et vous n'aurez même pas le travail de retirer des algues !

UN JOLI BOURBIER

Ce n'est pas véritablement une pièce d'eau, mais ce que les Anglais appellent un « bog-garden ». On pourrait traduire ce mot par « marécage » ou « bourbier », mais en France, on ne fait pas de « jardin-bourbier », ce qui est dommage. En voici un. On a sûrement creusé dans la partie du terrain la plus basse, la plus « en eau ». Sans artifices ou décor de pourtour, on a simplement planté des iris d'eau, des acores, des lysichitons, des renoncules aux fleurs jaunes et puis on a laissé faire la nature.

UN BOURBIER ABORDABLE

Un marais, un bourbier, en tout cas un lieu où on risque de se mouiller les pieds. Donnons-lui un caractère « abordable » sans pour autant lui retirer son air d'habitat humide où les grenouilles se régalent et les roseaux se prélassent. Un passage d'une rive à l'autre n'enlèvera rien à son « naturel », des rondins permettront la traversée au sec… Mais attention rien n'est plus glissant que le bois mouillé… Une seule astuce pour éviter la chute : clouer du grillage de poulailler sur les rondins. Plus de danger pour le funambule !

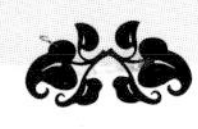

BASSIN TOUT SIMPLE

Ce petit bassin, sans forme préméditée et sans prétention, est serti dans un dallage de pierres irrégulières. Entre celles-ci, on a laissé pousser des alchémilles (*Alchemilla mollis*), qui forment, en une saison, de belles touffes fleuries qu'il suffit de rabattre à terre au mois d'août pour avoir en quelques semaines une nouvelle touffe bien fournie. Pour réaliser un point d'eau de cette dimension, environ 3 m x 2,50 m, on peut utiliser un bassin en préfabriqué, dont les contours seraient camouflés sous un rebord de pierres. Un bassin cimenté, peint avec un produit isolant approprié, peut être confectionné. Quelle que soit la solution adoptée, le fond devra être recouvert d'une couche de terre et d'une couche de cailloux, ce qui permettra aux plantes aquatiques de s'établir.

COIN JAPONAIS

La sérénité qui se dégage de cette pièce d'eau à la japonaise est due à sa conception purement minérale. L'eau, peu profonde, en demi-lune, entoure une île de pierres entassées pêle-mêle contre le mur de clôture. La seule concession à la végétation est la présence de trois acacias dont le léger feuillage n'empêche pas les jeux du soleil sur l'eau. Ces quelques grosses pierres posées, semble-t-il au hasard, sur le gravillon ont sûrement un sens, malheureusement hermétique pour moi.

BASSIN NATUREL

Ce bassin circulaire est inscrit dans une « chambe carrée ». C'est un « liner » installé dans une cuvette d'environ 0,60 m de profondeur qui a été disposé avec une margelle en pierres plates pour camoufler les contours. Pour accentuer le naturel de l'ensemble, on a introduit des plaques d'helxine entre les pierres. Très vite l'helxine s'étale et se faufile partout. Les plantes hautes, massettes (*Typha*) et iris ont été plantées sur le bord du basssin afin de décourager toute tentative d'approche des enfants. N'oubliez pas les poissons rouges, bien utiles contre les moustiques et pour le maintien de la propreté de l'eau. C'est le réservoir dans le fond du jardin qui sert à alimenter le bassin par un système de tuyau souterrain muni d'une pompe. Les nénuphars (*Nymphaea*) devraient être mis en place au printemps dans une bonne terre de jardin. Attention au choix ! Il y a ceux que l'on plante à 1,50 m ou 2 m de profondeur, ceux à moyen développement plantés à 1 m de profondeur et enfin les nénuphars à petit développement plantés à 30 ou 40 cm de profondeur. Ces fleurs monteront à la surface et dureront deux à trois jours en se renouvelant. On peut introduire les nénuphars dans le bassin, soit en les plantant dans le bassin vidé soit en les introduisant dans des paniers spéciaux. Un pied par panier de 0,40 x 0,40 m suffit.

UN PETIT COIN DE SUD

Ce jardin méditerranéen doit son charme tout simplement à la paire de glycines en arbres, *Wisteria sinensis* 'Alba', comme des sentinelles échevelées. Il n'est pas si facile d'en trouver, surtout deux semblables. L'intimité du lieu a été accentuée par le niveau, plus bas que le reste du jardin. C'est une formule qui permet la création d'un petit jardin dans lequel on peut adopter un style bien différent. Le bassin rond au centre a été cimenté et cerclé de dalles. Il y a de nombreuses plantes qui peuvent jaillir entre les gravillons, je pense à la lavande 'Hidcote'.

MINI-BASSIN

Un chemin mène directement à ce petit bassin dont les bords ont été soigneusement camouflés avec de grosses pierres irrégulières. Des nénuphars flottent à la surface de l'eau et des fougères ont été plantées sur la rive la plus à l'ombre.

Pour avoir de la couleur en été sans être astreint à de grandes plantations, on a prévu un parterre de fleurs annuelles, les eschscholzias, que l'on peut semer directement en place aux mois de mars-avril pour les voir fleurir à partir de juin.

Ce petit bassin peut être établi sur du polystyrène, que l'on achète au mètre dans les jardineries. Pour une réussite certaine, la préparation du terrain doit être soignée.

1) Creuser un trou de la taille voulue.

2) Débarrasser le fond et les parois des cailloux et des racines.

3) Poser un lit de sable de quelques centimètres sur toute la surface.

4) Étendre le polystyrène et retenir les bords avec des pierres pour procéder à la découpe.

5) On peut mettre quelques cailloux dans le fond pour donner un aspect plus naturel.

MARIAGE DE COULEURS

Fleurs et feuillages

PATCHWORK DE COULEURS

La sacro-sainte pelouse, tapis de velours, que les Anglais bichonnaient, chouchoutaient, est de plus en plus remplacée par un foisonnement de fleurs, annuelles en majorité. Il faut se rendre à l'évidence, les annuelles semées sur place en mars-avril ou plantées dans de petits godets, donnent un spectacle plus éblouissant et de plus longue durée que les plantes vivaces. De mai à octobre, il y a toujours des belles taches de couleurs et des fleurs à cueillir et pas de pelouse à tondre et à traiter. Une petite surface bien bêchée, nettoyée de ses mauvaises herbes et ratissée, peut devenir ce patchwork de couleurs composé, entre autres, de lavatères, de soucis (*Calendula*), de chrysanthèmes, de pavots. Quelques dalles dispersées ici et là permettront de circuler sans faire trop de dégâts.

BELLES PLANTES

Cortaderia, Gynerium, herbe de la Pampa, comme vous voudrez. On voit trop souvent les plantes majestueuses trôner au milieu de la petite pelouse d'un pavillon, alors que leur vraie place est « l'espace ». Ce sont des plantes qui se déploient, qui se montrent, et les restreindre à de petites surfaces est un gâchis. C'est en été qu'elles lancent leurs épis floraux à 2 m de haut. Admirables au bord de l'eau où elles peuvent se refléter, admirables dans le fond d'un espace de dune ou de lande, elles se suffisent bien à elles-mêmes tout en supportant quelques bergénias aux grandes feuilles vernissées à leurs pieds.

ENTRETIEN

Pour avoir chaque année de beaux spécimens bien fleuris, il faut se munir d'une solide paire de gants au printemps (avril) et rabattre la plante à 0,50 m, puis retirer au centre de la plante toutes les tiges des fleurs desséchées. Une toilette dont votre plante vous saura gré.

LA BORDURE ENFLAMMÉE

Que de fois ai-je entendu dire : « Je n'aime pas la couleur rouge dans le jardin. » Mais pourtant, quel spectacle on obtient quand « on force la dose » et que l'on ose mélanger pêle-mêle des rouges éclatants, des roux et orange.

Je vous livre la recette : buddleia 'Black Knight', des fuschias - je conseille la plus résistante, *F. magellanica*, des rosiers *Rosa moyesii* et *Rosa* 'Frensham', de la sauge (*Salvia elegans*), des cannas (*C. indica*), variété 'Roi Humbert', pour donner de la hauteur à la bordure des lobélias (*L. cardinalis*) dont le feuillage lie de vin s'intègre à merveille à l'ensemble, et quelques cordylines (*C. australis purpurea*). Vous voyez ici cette bordure tonitruante, au sommet de son éclat en plein été ; mais pour la réveiller dès le printemps, j'inclus des bouquets de bulbes, des tulipes rouges plantées par groupes de 5 et de 9 plantes vers le bord. Et n'ayez pas peur d'ajouter votre note personnelle, en rouge ou en orange, bien sûr ! Et la terre ? Rien de spécial, de la bonne terre franche recouverte d'une couche de mulch en automne ou au printemps.

PRÉSENCE POUDRÉE

Il est rare de voir les glycines (*Wisteria*) utilisées en « arbres ». On pense toujours à cette plante comme une grimpante qui se vautre sur les pergolas, qui drape les balustrades ou qui monte à l'assaut des façades. Mais elle peut, avec un peu d'aide, se comporter en véritable arbre. On doit alors admirer la grâce de ses longues racymes bleues ou blanches. On dirait des ballerines en longs tutus. Il y a aussi des variétés roses et jaunes, mais on les voit rarement. Le tuteur devra être un support solide pour que la glycine puisse s'enrouler autour et former un tronc.

La question qui se pose maintenant est : où et comment utiliser ces arbres peu communs ?

En sujets isolés sur une pelouse pour masquer le départ d'un chemin, ou bien d'un escalier, ou encore sur un patio.

SOINS PARTICULIERS

Quelle que soit l'utilisation de la glycine, la taille est très importante et conditionne son fleurissement : j'entends souvent dire : « Ma glycine ne fleurit pas. Pourquoi ? » N'incriminez pas la glycine mais la taille; celle-ci s'effectue pour les jeunes sujets en janvier-février. Taillez la nouvelle végétation à 2 ou 3 boutons de la branche de départ. Pour les vieux sujets, taillez à 5 ou 6 boutons de la branche d'où partent ces nouvelles pousses, en juillet-août. Pour toutes les glycines, le bois mort et les fleurs fanées doivent être supprimés en juillet-août.

JAUNE ET BLEU

Profitez d'une légère pente pour aménager ces larges niveaux de trois plantations dont le thème est le contraste de deux couleurs : le bleu et le jaune des agapanthes, des gazanias et des kniphofias, pour l'essentiel. Les gazanias jaunes, plantes de soleil, font office de couvre-sol. L'armoise (*Artemisia*) au feuillage argenté forme quelques beaux coussins, l'acaéna et l'anacyclus peuvent remplir des interstices. Mais la note originale vient des kniphofias de la variété 'Little Maud', dont les hampes minces jaune paille ont une longue floraison. Tous se contentent d'une terre de jardin normale sans excès d'humidité.

PROTÉGEZ LES PLANTES

Un peu exigeants, les agapanthes ont besoin d'une terre riche et légère, et bien drainée : un tiers de sable, un tiers de tourbe, un tiers de terre de jardin. Plantez les bulbes au printemps, à une profondeur d'au moins 20 cm. Pour leur éviter le gel, la plupart des jardiniers les plantent dans des pots qu'ils peuvent rentrer en hiver. En pleine terre, laissez jaunir les feuilles que vous protégerez sous une épaisse couche de mulch (feuilles décomposées) et posez un léger matelas de branches feuillues de conifères par-dessus.

HABILLAGES DE FÊTE

C'est 'Sénateur La Follette' qui « guirlande » ce vieil arbre centenaire... un rosier qui préfère les régions chaudes. Quant à la clématite de montagne (*Clematis montana*), c'est une plante « pressée », il ne lui faut pas plus de deux ans pour faire cette escalade. Ne la plantez pas trop près du tronc de l'arbre, si celui-ci est vivant, et arrosez-la bien surtout la première année. Elle devra être enterrée à 10 cm, c'est-à-dire plus profondément que si vous la plantiez en pot.

LE ROSIER ET L'OLIVIER

Qui a vu un olivier en fleurs ? En fleurs de rosier avec les ravissantes roses qui se détachent sur le feuillage argenté de son hôte...

Choisissez une variété parfumée : 'Aimée Vibert', toute blanche, que l'on appelle aussi 'Bouquet de la Mariée', ou 'Constance Spry', au parfum de myrrhe.

COIN DE RÊVE VERTICAL

N'abattez pas cet arbre mort, ne supprimez pas cet arbre disgracieux, mal formé, utilisez-les plutôt comme « porte-fleurs ». Vous créerez ainsi des coins de rêve verticaux. 'Intervilles', d'un superbe jaune feu grimpe à 3 m et fleurit longtemps. Ne le plantez pas tout près du tronc. 50 cm est une bonne distance.

Un 'Kiftsgate', un 'Bobbie James' ou un 'Wedding Day' n'ont besoin d'aucun tuteur pour escalader un arbre. Inutile de retirer les fleurs fanées, inutile de tailler les branches, laissez le rosier vivre sa vie de « sarmenteux ».

Les clématites se plaisent bien à l'ombre légère d'un arbre, mais ne les plantez pas trop près du tronc. Prévoyez un espace de 50 cm entre la clématite et l'arbre. Et ne les laissez pas mourir de soif... les racines des arbres sont très gourmandes.

FRONTIÈRES VERTES

Les haies et les murs

L'ART DU CAMOUFLAGE

J'ai toujours pensé que l'« art du camouflage » faisait partie de la conception d'un jardin. Ennoblissez votre mur en le camouflant, comme ici avec cette fausse porte à colonnades de lierres. Un premier travail de menuisier a consisté à visser une fausse porte en planches de bois contre le mur incriminé. Des lierres à grandes feuilles panachées de crème habillent le panneau central. 'Gloire de Marengo' est très couvrant. La colonnade est réalisée avec des lierres à petites feuilles comme *Hedera gracilis* qui peut grimper jusqu'à 5 m. Gardez le contrôle des opérations avec de petites tailles opportunistes qui constitueront la toilette régulière. Pour bien établir les lierres, il faut tailler la base et bien les arroser, surtout durant la première année. Avec un travail moindre, on peut obtenir un bel effet de camouflage en fixant une porte en trompe-l'œil sur un mur, puis en opérant la même plantation de lierres.

Une autre solution consiste à faire une plantation d'une superbe élégance dans une clairière engazonnée où une haie en forme de cœur encadre une statue dans un massif de tulipes. Les buis de la haie sont plantés à partir de petits pieds de 0,30 m de haut, sur deux rangs, espacés de 0,20 m en tous sens. Les tulipes sont plantées en novembre. Après leur floraison du printemps, on peut prévoir une plantation pour la floraison de l'été : des lavatères ou des gueules-de-loup (*Antirrhinum*).

MUR HABILLÉ

On a tellement l'habitude de faire des plates-bandes au pied des murs que l'on pense rarement à la possibilité de créer des effets « par-dessus » les murs. Que ce soit un muret de soutènement de moins d'un mètre de hauteur ou un grand mur de clôture, des idées et des solutions s'imposent : des gros coussins de thlaspi (*Iberis*), d'aubriète (rose ou bleu) de corbeille d'or refleurissent chaque printemps et conviennent à une scène campagnarde. Les plantes devront être mises en place aux mois de mars-avril. Pour un mur de plus grande importance, il convient de planter des arbustes à branches retombantes dans le terrain qui affleure derrière le mur : hortensia grimpant (*Hydrangea paniculata*), weigelia, céanothes sont les prioritaires tandis que de plus petits sujets (géraniums, alchémilles) trouveront place au pied du mur.

Si l'on peut disposer des bacs au sommet d'un mur, on peut obtenir des résultats spectaculaires avec des coloris de géraniums (*Pelargonium*) mis en place dès mai-juin.

HAIE EN POTS

Une haie de lauriers et des potées de fuschias pour border une allée ou pour le fond d'un patio est une idée à ne pas négliger. Les pots sont posés sur des briquettes, bonne astuce pour que l'eau s'évacue plus aisément. Les fuschias reviennent à la mode, maintenant que l'on a créé des variétés plus rustiques. Ils ont le mérite de fleurir à l'ombre et d'être décoratifs depuis le mois de juin jusqu'aux gelées. Dans le Nord, les fuschias ne sont pas sortis avant la mi-mai, tandis que dans le Midi, on peut les planter un mois plus tôt. Si les lauriers (*Nerium oleander*) font d'admirables haies dans le Midi, on peut s'en offrir en pots dans le Nord, à condition de les rentrer pendant l'hiver.

EN SCÈNE

Si vous avez un mur, vous avez une vue derrière le mur. On peut parfaitement reproduire cette scène dans un lieu moins historique que le château de Broughton dans le Oxfordshire en Angleterre. Le charme réside aussi dans la beauté d'un mur en pierres sèches. C'est-à-dire sans ciment. Mais quand on a affaire à des matériaux moins nobles, on peut les habiller d'un jasmin ou d'une clématite de montagne qui pousse vite et d'une manière dense.

POUR LE REPOS

Le banc est composé d'une paire d'accoudoirs et d'un siège en pierre, et toute la composition invite à un séjour prolongé. Entre les dalles du sol, la végétation se veut sans apprêt. Ce que j'appelle un désordre étudié avec un petit rosier buisson, de la sauge, du romarin et près du banc une belle touffe d'anémones du Japon qui fleurissent à partir de septembre, alors que les autres fleurs ont déjà fait leurs bagages.

UN MUR HABILLÉ

Qui a envie de voir un grillage moderne, en fer ou en bois, peu importe, clôturer son jardin ? Alors habillez les barreaux de lierre... Tout un choix s'offre à votre fantaisie depuis les jolis panachés aux feuillages bordés de blanc, comme la variété 'Tricolor', jusqu'aux petites feuilles pointues, comme le 'Shamrock'. Évitez les grosses feuilles qui font désordre et qui sont plus difficiles à palisser.

CHOIX DE PLANTES

C'est, je l'avoue, un travail de patience au départ, mais ne vous laissez pas faire en achetant des petits sujets de moins de 10 cm de longueur : vous en auriez pour cinq ans à contempler votre grille toute nue. De bons sujets de 0,40 m que vous pourrez commencer à installer rapidement feront très vite leur métier de « couvre-grille », si vous les arrosez bien pendant les chaleurs de l'été. Vous n'aurez pas à les attacher, ils sont très indépendants et grimpent tout seuls. Aidez-les à s'enrouler un peu au départ, de cette façon les barreaux seront habillés recto verso. Dès que vous apercevrez des pousses latérales qui nuisent à la netteté de l'ensemble, supprimez-les sans remords.

EN CASCADE

Il n'est pas toujours possible ni souhaitable d'habiller un mur, mais on peut faire une plantation extra-muros pour laisser apparaître des branches fleuries qui tomberont en cascade.

LES GLYCINES

Pour obtenir ce résultat, rien de tel que les glycines avec leurs longues inflorescences qui viennent délicatement s'abandonner par-dessus un mur.

LA HAIE EN ARCHE

Le jardin est d'un côté et le reste du monde est de l'autre, lointain, à rêver, changeant selon la couleur du ciel. C'est la masse magistrale de cette arche qui en fait toute la beauté. On peut la réussir en if pour avoir le velouté de la verdure, en charme pour avoir la rapidité du résultat et la coloration des feuilles d'automne. Dans les deux cas, c'est une aventure de longue haleine... Mais qui hésiterait ?

Pour obtenir le meilleur résultat, il ne faut pas lésiner ni avec les arrosages ni, au départ, avec une bonne plantation.

HAIE EN SAILLIE

Un berceau de verdure adoucit l'austérité de ce mur d'enceinte. L'armature a été établie avec des poteaux en fer reliés entre eux par un treillage. La banalité et la lourdeur ont été évitées grâce à la taille qui forme une saillie sur le sommet d'un des côtés. Ici, nous voyons une végétation en if (*Taxus*), mais on peut en choisir une autre, en fonction du climat : jasmin ou bougainvillée sur la Côte d'Azur, buisson ardent, houx, lierres sous des cieux moins cléments.

TAILLE DE LA HAIE

Celle-ci a été obtenue en marquant à la ficelle l'endroit où l'on veut faire apparaître la saillie, puis on procède à la coupe sous la ficelle. Au bout d'une ou deux tailles, la partie supérieure de la végétation aura pris une plus grande importance, on lui donnera alors une petite « taille de profuté ».

BORDURES FLEURIES

Il y a de nombreuses raisons pour créer une bordure en surélévation : peut-être trouve-t-on la terre trop basse ou la terre est-elle trop compacte, difficile à travailler, ou simplement comme ici, trouve-t-on cette formule plus attrayante. Il faut aussi admettre que les murs en pierres sèches apportent un « plus » au jardin. Ici les bordures surélevées en pierres sèches ont été aménagées pour créer une allée qui donne accès au reste du jardin. Le grand avantage de ce genre de traitement est que l'on peut remplir son « bac » de bonne terre adaptée à la plantation. Ici, une sélection d'œillets, dans des tons allant du rose au blanc, assure une floraison d'été ininterrompue si l'on prend soin de retirer, au fur et à mesure, les fleurs fanées.

DES BOUQUETS BLANCS

Trouver ce soutènement rocheux ponctué de bouquets blancs au tournant d'un chemin est une surprise qui a demandé seulement un peu d'imagination et beaucoup de soleil. L'impact du blanc montre qu'un jardinier a présidé à ces festivités... La nature a eu son mot à dire avec l'immixtion de quelques touches de couleurs – rose et rouge – pourquoi pas jaune à une autre saison ? Mais il fallait être vigilant et ne pas se laisser déborder. On a voulu une coulée blanche et on a eu raison. Il faut savoir éviter la tentation de bourrer chaque interstice de « couleurs » variées et puis il y a un tel choix de plantes qui ont le goût de la sécheresse, du soleil, de la terre pauvre, un vrai régime de misère...

La plantation peut se faire, à l'automne en climat méditerranéen et au printemps ailleurs. Leur mise en place consiste à les tremper dans l'eau pendant quelques minutes avant de les « enfouir » dans de bons interstices entre les rochers. Pour les plantes en godets, divisez-les en 2 ou 3 petites touffes et introduisez-les dans des poches 1/2 terre, 1/2 sable. Dès la première année vous aurez un pavois habillé. Inutile d'arroser – en voilà une bonne nouvelle. L'humidité minérale est suffisante. Pour un spectacle blanc : benoîte, alysse, sédum. Pour un spectacle rose : silène, thym, *Phlox robusta.*

PLACE AUX ORNEMENTS

Les vasques et les sculptures

MISE EN SCÈNE

L'art de mettre en scène une simple vasque en terre cuite. Ceci peut être imaginé dans n'importe – ou presque – quel coin de jardin. Évidemment, si l'on possède une statue, on en tire profit, mais une vasque sur un socle peut très bien convenir. La mise en scène est complétée par de superbes ifs qui semblent monter la garde autour de l'urne. La plantation de celle-ci est un peu maigre à mon goût, mais c'est peut-être une question de saison. J'aurais plutôt opté pour une profusion de gypsophiles roses ou blanches, ou une ballote qui jaillirait en cascade le long de l'urne.

Une autre formule pour mettre une colonne en évidence serait de fermer le jardin par une imposante haie d'ifs. Symétrique sans être austère, on crée une pièce de verdure dans laquelle sont plantés, très près les uns des autres, des catalpas, qui, avec l'âge, feront un ciel de fleurs roses ou blanches durant l'été. Les carrés de bordures de buis soulignant le dallage sont les rares végétaux en dehors des potées de fleurs.

VASQUE D'ABONDANCE

Pour attirer notre regard, arrêter nos pas, une vasque doit être débordante, d'où l'intérêt de planter des espèces comme des fuschias, des abutilons, des ballotes, des lavatères qui exultent et prolifèrent en un rien de temps.

BIEN ARROSER

Mais le secret de cette exubérance est l'arrosage pendant toute la période de croissance : de mai à septembre, au rythme d'un arrosoir tous les deux jours. Il faut se rendre compte que les plantes sont tellement confinées, à l'étroit dans leur vasque, qu'il faut suppléer le peu de terre par l'eau et par l'engrais mensuel s'il s'agit de fleurs annuelles, comme ici les pétunias (plantés en godets en mai-juin après les gelées). Les armoises (*Artemisia*) jailliront au centre du bouquet et se répandront partout autour de la vasque en vagues argentées. Une discrète note de jaune, pas indispensable à mon avis, donne un note ensoleillée… même sans soleil.

LA COLONNADE

Aucune bordure, aucune platebande, mais une colonnade orne de façon inattendue le gazon.

Les piliers en pierre font une diversion inattendue et remplacent fort bien les classiques poteaux en bois. On peut également trouver des piliers en ciment, qui vieilliront très correctement avec quelques applications de yaourt que l'on laisse sécher.

Pour relier les colonnes entre elles, il y avait jadis, me dit-on, des cordes habillées avec des rosiers en guirlandes. Un rosier grimpant peut habiller la colonne pour toute l'année.

Si l'on veut faire une économie de main-d'œuvre, cette formule permet de créer un tableau très élégant, réhaussé par une simple plantation centrale, classique et soignée.

COMPOSITION CONTRASTÉE

Pour mettre les rosiers en valeur, il a fallu une couleur contrastée : la lavande remplit à merveille cette fonction. Une raison supplémentaire, non négligeable, de planter des lavandes, est à signaler : comme elles ne sont pas gourmandes d'eau, elles ne privent en rien les rosiers des précieux arrosages.

POINT D'ACCROCHE

Une statue centrale, posée sur un socle-cube, attire encore mieux le regard. Si la statue fait défaut, on peut imaginer un cube en pierre qui servirait de socle à quelque vasque fleurie.

PETIT ESPACE AMÉNAGÉ

Les petits jardins en contrebas sont pleins de charme et offrent de nombreuses possibilités : jardins d'herbes, roseraies, etc. Ici, on a imaginé une formule plus dynamique, qui peut convenir à un jardin moderne, avec ce muret en forme de roue aux rayons en pierre. Un véritable ornement paysagé, mais un jeu d'enfant à réaliser.

CRÉER L'ESPACE

Sur un terrain bien préparé et bêché, commencez par poser au centre un bâton sur lequel vous aurez attaché une ficelle. Tracez le grand cercle en tournant autour du bâton central.

Recommencez l'opération pour dessiner le petit cercle au milieu duquel se trouvera une vasque. C'est dans l'espace entre les deux cercles que vous poserez les « rayons » de la roue. On trouve ces formes de pierres reconstituées toutes faites chez les marchands de matériel de construction et souvent dans les grandes jardineries. Comme l'emplacement choisi est un peu en sous-élévation, on a créé quatre accès en marches d'escalier.

AU BOUT DU MUR

Cette vasque en terre cuite a été très astucieusement posée au bout d'un bas muret avec un bel arbuste : un rosier 'Centenaire de Lourdes' ou 'Constance Spry'. La vasque elle-même contient peu de choses : quelques pieds de ballotte qui finiront par cascader par-dessus bord. Mais la rose donne l'impression de jaillir de la vasque… cela au bout de trois ans.

REFUGES DE CHARME

Gazebos, kiosques et abris

COIN D'OMBRE FLEURI

Ce coin d'ombre fleuri peut être conçu dans un coin du jardin pour donner du volume à une surface trop plate. Les poteaux de soutien devront avoir 3 m de haut pour être enfoncés dans le sol de 0,50 m et cimentés. Le sol a été dallé de façon à ce que l'on puisse installer du mobilier de jardin.

Ici, on a utilisé un rosier sarmenteux qui fait des pousses de plusieurs mètres par an, le prolifique 'Wedding Day', sans problèmes, sans maladies, sans tailles, avec un petit inconvénient toutefois, il fleurit en juin ou début juillet, mais une seule fois. Plantez-le en automne dans un grand trou (0,60 m x 0,60 m) plein de bonnes choses : du fumier si possible, mais en tout cas, une poignée d'os broyé et de sang séché. Arrosez-le généreusement et vous verrez votre rosier faire des prouesses d'escalade.

ENCHANTEMENT

Pour réaliser un kiosque qui a vue sur la mer, deux solutions sont possibles. La première : vous avez la chance d'avoir des arbres, de préférence des pins, plantés à quelques mètres de distance les uns des autres, qui se prêtent au palissage en souplesse sur le toit d'un kiosque. Celui-ci peut être en métal ou en bois selon le style de la propriété. On peut également le prévoir rond ou carré. L'autre solution est celle qui a été adoptée ici. On a commencé par installer un kiosque de la taille et de la forme appropriées à l'usage que l'on souhaite en faire. C'est de chaque côté du kiosque que l'on a construit des bases en pierre qui devront avoir une profondeur suffisante pour supporter des arbres (environ 80 cm). Les épicéas s'adaptent bien à ce genre de plantation. Ce sont des arbres qui supportent bien le climat de bord de mer et leur port fait penser à d'énormes bonsaïs.

TONNELLE VÉGÉTALE

Adossée à un mur, cette tonnelle offre tout d'abord un intérêt végétal, puisque les poteaux de soutien en bois sont habillés de clématites et de houblons (qui répondent au nom de *Humulus japonicus*). Le houblon est davantage utilisé en Angleterre où l'on apprécie sa faculté de grimper vite et bien. Il existe également une variété annuelle plus décorative, aux grandes feuilles panachées de blanc. Un panneau de treillage en bois forme le toit, sur lequel une couche de terre d'environ 5 cm suffit. De bonnes et de mauvaises herbes s'y installent parmi lesquelles, en surprise, quelques fleurs sauvages... Si vous ne voulez pas laisser seulement faire la nature, je suggère que vous plantiez des joubarbes (*Sempervivum*) ou des sédums qui se plieront volontiers à cet exercice, avec, en prime, les cadeaux des oiseaux ou du vent. Des bordures de buis encadrent les parterres de rosiers roses.

ABRI SURÉLEVÉ

Cet abri de jardin a été posé un peu en hauteur par rapport au jardin, c'est la raison pour laquelle des marches en rondins ont été aménagées pour y accéder. La terre est acide, ce qui explique la plantation de rhododendrons qui créent un fond « chaleureux ». Des hostas, des astilbes et des conifères nichent entre quelques grosses pierres, et pour que la scène ne soit pas trop plate, on a planté un bouleau en cépée, c'est-à-dire deux troncs dans le même trou, avec quelques népétas à leur base.

ABRI DE CHARME

Un abri construit contre un mur bien visible n'a pas un charme particulier, sauf si on lui aménage cette plantation en « excroissance ». Il s'agit simplement d'un bac aménagé sur le toit dans lequel il y a profusion de pélargoniums, des variétés de lierre de préférence. Dans une terre bien riche, les pélargoniums vont folâtrer sur le toit à leur aise. On remarque une autre intruse, une rose qui a escaladé le mur pour venir se prélasser sur les tuiles. Les bacs n'ont pas besoin d'être importants : 0,20 m de largeur et 0,30 m de profondeur suffiront. Un système d'arrosage est à prévoir si vous ne voulez pas voir vos fleurs cuites au soleil.

JARDIN DE MOUSSES

Je ne vous promets pas la réussite instantanée de ce pont qui mène à la clairière en mousse. Cette scène de rêve se trouve à Kyoto, dans le jardin des mousses. Pour le réaliser, il vous faudra un sous-bois humide, et un travail de titan pour éliminer les mauvaises herbes. Mais ne déclarons pas forfait, vous pouvez concrétiser cette scène avec du minuartia (*M. laricifolia*). C'est une perle rare qui ressemble comme un frère à la mousse de Kyoto... avec un atout en plus : elle se couvre de minuscules fleurs blanches pendant deux mois à partir de juillet. Comptez environ six pieds au mètre carré. Plantez vos minuartias en automne, ou au printemps si vous êtes dans un climat froid. La terre devra être meuble, souple, allégée avec du sable. Vous pouvez diviser vos touffes juste après la floraison et replanter aussitôt les éclats en les arrosant bien. Le minuartia aime modérement le soleil et ne doit pas se dessécher.

JARDINS INSOLITES

Les non-jardins

UN JARDIN SEC

J'ose vous montrer ce jardin-patio australien. Ils l'appellent « le jardin sec ». Il est fait d'un dallage et de graviers. On a tout de même fait une concession à la végétation en choisissant d'inclure des cactus.

JARDIN ZEN

Les esthètes zen, regardant ce jardin aux pierres non taillées par la main de l'homme, pourraient l'interpréter de plusieurs façons. Verraient-ils deux lions surveillant leurs lionceaux étendus au soleil ? Verraient-ils trois âmes qui chercheraient à rejoindre une lointaine terre ? Ne soyez pas frustré si vous n'avez pas la possibilité d'acquérir des pierres d'une certaine ampleur pour votre jardin zen. Voici la recette pour les faire vous-même.

1) Creusez un trou (dans un coin discret du jardin) de la taille de la pierre que vous souhaitez.

2) Doublez le trou d'une feuille de plastique que vous laisserez déborder.

3) Faites un mélange d'un tiers de sable, un tiers de ciment, un tiers de tourbe blonde et ajoutez juste assez d'eau pour faire une pâte épaisse. Mélangez bien.

4) Bourrez le trou de cette mixture, puis laissez sécher quelques jours.

5) Tirez sur le plastique pour dégager votre superbe pierre et mettez-la en place.

Avec un peu d'habitude, vous arriverez à donner la forme que vous souhaitez à vos pierres. Une inclusion de quelques cailloux ou d'éclats de vraies pierres à votre mixture serait souhaitable. Vous pourrez même les vieillir, si tel est votre goût, en les enduisant deux ou trois fois de yaourt.

LABYRINTHE EN HERBE

Peut-être pas un coin de rêve, mais une promenade pour rêver et méditer. Pour certains, les labyrinthes sont les symboles du voyage de l'âme depuis ce monde jusqu'à l'autre. Pour d'autres, ce sont des chemins de pénitence, d'où leur présence sur le sol de nombreuses églises médiévales : Amiens, Bayeux, Chartres, Lucca, etc. Mais les labyrinthes sont bien plus anciens ; nous savons qu'ils existaient 4000 ans avant J.-C. Les labyrinthes en terre semblent plus rares, il n'en reste que huit en Grande-Bretagne. Troy, à Somerton, dans le Oxfordshire, est certainement le plus important. Cette spirale de forme ovale mesure environ 160 m x 150 m, ce qui fait un parcours d'environ 400 m depuis l'entrée jusqu'au centre.

LE TRACÉ

Avec une « bombe » à marquer, tracez la spirale en laissant 60 cm entre chaque rayon. Il ne reste plus qu'à creuser les sillons sur les traits à l'aide d'un motoculteur. Ensuite, vous retirez la terre sur la largeur d'un fer de bêche et vous damez la spirale fermement au pied. L'entretien du labyrinthe consiste à passer un crochet dans le sillon pour empêcher la prolifération des mauvaises herbes. La tonte de la crête se fait à l'aide d'un ratofil... Vous aurez sans doute un des premiers labyrinthes en herbe de France.

REMERCIEMENTS

L'éditeur tient à exprimer ses remerciements aux propriétaires et créateurs de jardins présentés dans cet ouvrage.

Jardin de la Bonne Maison, à Lyon, France : page 8
Création Jacques Wirtz, Anvers, Belgique : pages 10, 121
The Old Rectory, Burghfield, Grande Bretagne : pages 14, 19, 122
Jardin de Planbessin, Castillon, France : pages 20, 106-107
Jardins de Bagatelle, Paris, France : pages 22, 99
Jardin privé de la Casella, Provence, France : pages 23, 34-35, 44.
Création Erwan Tymen, Lorient, France : page 31
Lower Hall, Grande Bretagne : page 32
Création Timothy Vaughan : pages 36, 100
Création Dino Pellizzaro, Vallauris, France : pages 36, 38
Garsington Manor, Oxfordshire, Grande Bretagne: page 39
Jardin Shakespeare, Boulogne, France : page 40
Chelsea flower show, Londres, Grande Bretagne : page 50
Coach House, Grande Bretagne : page 62
Mottisfont Abbey, Hampshire, Grande Bretagne : page 63
Walenburg, Hollande : page 85
Jardin Peter Baak, Groningen, Hollande : page 86
Jardin La Petite Rochelle, Orne, France : page 106 (bas)
Chenies Manor, Bucks, Grande Bretagne : page 109, 114
Sissinghurst garden, Kent, Grande Bretagne : page 115
Jardin de Madame de Cabrol, France : page 116
Llandro Delgado, Madrid, Espagne : page 120
Jardin de Madame Wray, Grande Bretagne : page 127
Jardin de Mussy-sous-Dun, France : page 128

Anita Pereire, tous les conseils pour votre jardin.

Photos H. Parrot, J. Cham

Paysagiste de renommée internationale, Anita Pereire nous révèle à travers ces 7 ouvrages tout son savoir-faire.
Des livres riches en illustrations (dessins inédits, photos en couleurs), description des espèces et variétés, conseils techniques et pratiques de mise en œuvre pour réussir son jardin.
Une série d'ouvrages de référence, indispensables à la ville comme à la campagne pour le plus grand bonheur des amateurs.

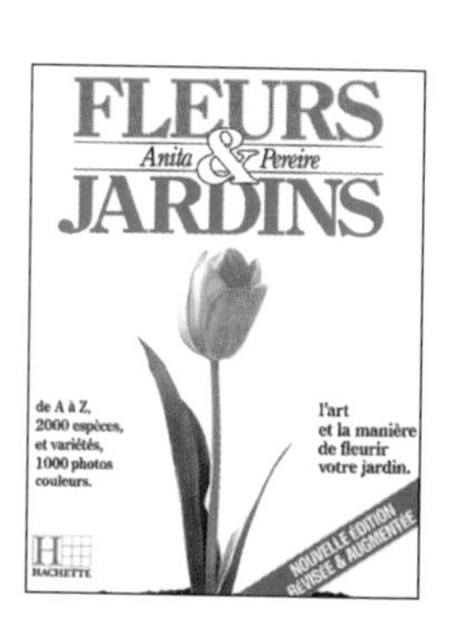

Hachette Pratique

CRÉDITS PHOTOS

8 © B. Ph. Perdereau
9 © B. Ph. Perdereau
10 © B. Ph. Perdereau
11 © Photo Lamontagne
12-13 © Ph. Bonduel
14 © B. Ph. Perdereau
15 © D. Kartun
16-17 B. Ph. Perdereau
18 © Garden Picture Library/ Ron Sutherland
19 © B. Ph. Perdereau
20 © B. Ph. Perdereau
21 © Garden Picture Library/David Secombe
22 © B. Ph. Perdereau
23 © B. Ph. Perdereau
24-25 © Garden Picture Library/Alan Bedding
26 © Ph. Bonduel
27 © Garden Picture Library/Jerry Pavia
28 © Garden Picture Library/Henk Dijkman
29 © Garden Picture Library/Gary Rogers
30 © Garden Picture Library/Gil Hanly
31 © B. Ph. Perdereau
32 © B. Ph. Perdereau
33 © Garden Picture Library/Marijke Heuff
34-35 © B. Ph. Perdereau
36 © Garden Picture Library/Jonathan Weaver
37 © Garden Picture Library/Sunniva Harte
38 © B. Ph. Perdereau
39 © B. Ph. Perdereau
40 © B. Ph. Perdereau
41 © Photo Lamontagne
42-43 © Garden Picture Library/Steven Wooster
44 © B. Ph. Perdereau
45 © B. Ph. Perdereau
46-47 © Garden Picture Library/Linda Burgess
48 © Garden Picture Library/John Glover
49 © Ph. Bonduel
50 © B. Ph. Perdereau
51 © Garden Picture Library/ Ron Sutherland
52-53 © Garden Picture Library/Jerry Pavia
54 © B. Ph. Perdereau
55 © Garden Picture Library/Brian Carter
56 © Photo Lamontagne
57 © Garden Picture Library/ Ron Sutherland
58-59 © Garden Picture Library/Ron Sutherland
60 © Photo Lamontagne
61 © Photo Lamontagne
62 © B. Ph. Perdereau
63 © B. Ph. Perdereau
64 © Photo Lamontagne
65 © B. Thomas
66 © Photo Lamontagne
67 © Garden Picture Library/ Jane Legate
68-69 Jardin de Nymans, Sussex, Grande Bretagne. © National Trust Photographic Library/Stephen Robson
70 © Photo Lamontagne
71 © Photo Lamontagne
72 © Photo Lamontagne
73 © Photo Lamontagne
74 © Garden Picture Library/ Ron Sutherland
75 © Garden Picture Library/Jerry Pavia
76 © B. Ph. Perdereau
77 © Garden Picture Library/Neil Holmes
78-79 © Photo Lamontagne
80 (haut) © Garden Picture Library/JS Sira
80 (bas) © Garden Picture Library/Jerry Pavia
81 © Photo Lamontagne
82 © Ph. Bonduel
83 © Photo Lamontagne
84 © D. Kartun
85 © Photo Lamontagne
86 © B. Ph. Perdereau
87 © Photo Lamontagne
88-89 © Garden Picture Library/Henk Dijkman
90 © Ph. Bonduel
91 © Garden Picture Library/JS Sira
92-93 © Photo Lamontagne
94 © Garden Picture Library/John Glover
95 © Ph. Bonduel
96-97 © Photo Lamontagne
98 Jardin de Hidcote Manor, Gloucestershire, Grande Bretagne. © National Trust Photographic Library/Andrew Lawson
99 © B. Ph. Perdereau
100-101© B. Ph. Perdereau
102 © Brigitte Thomas
103 © Garden Picture Library/Steven Wooster
104-105 © B. Ph. Perdereau
106 (haut et bas) © B. Ph. Perdereau
106-107 © B. Ph. Perdereau
108 © Garden Picture Library/Cressida Pemberton-Pigott
109 © B. Ph. Perdereau
110 © B. Ph. Perdereau
111 © B. Ph. Perdereau
112-113 © Garden Picture Library/Roger Hyam
114 © B. Ph. Perdereau
115 © B. Ph. Perdereau
116 © Ph. Bonduel
117 © Garden Picture Library/Gary Rogers
118 © Photo Lamontagne
119 © B. Ph. Perdereau
120 © B. Ph. Perdereau
121 © B. Ph. Perdereau
122 © B. Ph. Perdereau
123 Jardin de The Courts, Holt, Wiltshire Grande Bretagne. © National trust photographic library/George Wright
124-125 © Garden Picture Library/Steven Wooster
126 © Garden Picture Library/Jerry Pavia
127 © B. Ph. Perdereau
128 © B. Ph. Perdereau
129 © Photo Lamontagne
130-131 © Garden Picture Library/Gary Rogers
132 (haut) © Garden Picture Library/Zara Mac Almont
132 (bas) © Photo Lamontagne
133 © B. Ph. Perdereau
134 © Photo Lamontagne
135 © Garden Picture Library/ Ron Sutherland
136-137 © Garden Picture Library/ Ron Sutherland
138-139 © Garden Picture Library/Nigel Francis

LE PAVILLON DE ROSES
(Jardin de Sissinghurst,
Grande-Bretagne)

On rêve de créer ce pavillon de rosiers dans son jardin. C'est un des plus faciles à réaliser. L'armature devra être en fer si l'on veut un abri important, 6 m ou plus. Pour un gabarit plus modeste, on peut utiliser du bois. Dans ce cas, un pilier central de soutien n'est pas nécessaire. Les rayons du toit partent de chacun des poteaux et sont reliés entre eux par des barres transversales. Les rosiers choisis, un rosier par poteau, sont *Rosa longicuspis*, mais une autre variété, 'Madame Alfred Carrière', peut être envisagée. Ce rosier supporte une exposition au nord, il fleurit tout l'été et il est si parfumé.
La plantation environnante est faite dans des plates-bandes bordées de buis. Elle est composée de lis royaux et d'iris blancs. Pour un festival de blancs variés : *Phlox*, delphiniums, rosiers blancs 'Fée des neiges' et tulipes blanches pour le printemps.

Légende de la couverture.

Imprimé en France par I.M.E. - 25110 Baume-les-Dames
Dépôt légal : 3270 - Février 1996
N° éditeur : 33887 - ISBN : 2-01-236135-8
23-55-6135-0/01